AGENDA BRETAGNE 1988

PHOTOS LAN SEZNY

TRADUIT EN BRETON PAR SERGE RICHARD

EDITIONS RIVAGES
5-7, rue Paul-Louis Courier - 75007 Paris
10, rue Fortia - 13001 Marseille

CALENDRIER 1988

Janvier

1 V JOUR DE L'AN
2 S St Basile
3 D Epiphanie

4 L St Odilon
5 M St Edouard
6 M St Mélaine
7 J St Raymond
8 V St Lucien
9 S Ste Alix
10 D St Guillaume

11 L St Paulin
12 M Ste Tatiana
13 M Ste Yvette
14 J Ste Nina
15 V St Rémi
16 S St Marcel
17 D Ste Roseline

18 L Ste Prisca
19 M St Marius
20 M St Sébastien
21 J Ste Agnès
22 V St Vincent
23 S St Barnard
24 D St Fr. de Sales

25 L Conv. St Paul
26 M Ste Paule
27 M Ste Angèle
28 J St Th. d'Aquin
29 V St Gildas
30 S Ste Martine
31 D Ste Marcelle

Février

1 L Ste Ella
2 M Présentation
3 M St Blaise
4 J Ste Véronique
5 V Ste Agathe
6 S St Gaston
7 D Ste Eugénie

8 L Ste Jacqueline
9 M Ste Apolline
10 M St Arnaud
11 J N.-D. de Lourdes
12 V St Félix
13 S Ste Béatrice
14 D St Valentin

15 L St Claude
16 M Mardi Gras
17 M Cendres
18 J Ste Bernadette
19 V St Gabin
20 S Ste Aimée
21 D St P. Damien

22 L Ste Isabelle
23 M St Lazare
24 M St Modeste
25 J St Roméo
26 V St Nestor
27 S Ste Honorine
28 D St Romain

29 L St Auguste

Mars

1 M St Aubin
2 M St Charles le Bon
3 J St Guénolé
4 V St Casimir
5 S Ste Olive
6 D Ste Colette

7 L Ste Félicité
8 M St Jean de Dieu
9 M Ste Françoise
10 J Mi-Carême
11 V Ste Rosine
12 S Ste Justine
13 D St Rodrigue

14 L Ste Mathilde
15 M Ste Louise
16 M Ste Bénédicte
17 J St Patrice
18 V St Cyrille
19 S St Joseph
20 D St Herbert

21 L Ste Clémence
22 M Ste Léa
23 M St Victorien
24 J Ste Catherine de Suède
25 V Annonciation
26 S Ste Larissa
27 D Rameaux

28 L St Gontran
29 M Ste Gwladys
30 M St Amédée
31 J St Benjamin

Avril

1 V Vendredi-Saint
2 S Ste Sandrine
3 D Pâques

4 L Lundi de Pâques
5 M Ste Irène
6 M St Marcellin
7 J St Jean-Baptiste de la S.
8 V Ste Julie
9 S St Gauthier
10 D St Fulbert

11 L St Stanislas
12 M St Jules
13 M Ste Ida
14 J St Maxime
15 V St Paterne
16 S St Benoît-J. Labre
17 D St Anicet

18 L St Parfait
19 M Ste Emma
20 M Ste Odette
21 J St Anselme
22 V St Alexandre
23 S St Georges
24 D St Fidèle

25 L St Marc
26 M Ste Alida
27 M Ste Zita
28 J Ste Valérie
29 V Ste Catherine de Sienne
30 S St Robert

Mai

1 D Fête du Travail

2 L St Boris
3 M St Philippe
4 M St Sylvain
5 J Ste Judith
6 V Ste Prudence
7 S Ste Gisèle
8 D Armistice 1945

9 L St Pacôme
10 M Ste Solange
11 M Ste Estelle
12 J Ascension
13 V Ste Rolande
14 S St Matthias
15 D Ste Denise

16 L St Honoré
17 M St Pascal
18 M St Eric
19 J St Yves
20 V St Bernardin
21 S St Constantin
22 D Pentecôte

23 L Lundi de Pentecôte
24 M St Donatien
25 M Ste Sophie
26 J St Bérenger
27 V St Augustin
28 S St Germain
29 D Fête des Mères

30 L St Ferdinand
31 M Visitation

Juin

1 M St Justin
2 J Ste Blandine
3 V St Kévin
4 S Ste Clotilde
5 D St Igor

6 L St Norbert
7 M St Gilbert
8 M St Médard
9 J Ste Diane
10 V St Landry
11 S St Barnabé
12 D St Guy

13 L St Antoine de Padoue
14 M St Elisée
15 M Ste Germaine
16 J St J.-F.-Régis
17 V St Hervé
18 S St Léonce
19 D St Romuald

20 L St Sylvère
21 M St Rodolphe
22 M St Alban
23 J Ste Audrey
24 V St Jean-Baptiste
25 S St Prosper
26 D St Anthelme

27 L St Fernand
28 M St Irénée
29 M Sts Pierre, Paul
30 J St Martial

CALENDRIER 1988

Juillet

1 V St Thierry
2 S St Martinien
3 D St Thomas

4 L St Florent
5 M St Antoine-Marie
6 M Ste Mariette
7 J St Raoul
8 V St Thibaut
9 S Ste Amandine
10 D St Ulrich

11 L St Benoît
12 M St Olivier
13 M Sts Henri, Joël
14 J Fête Nationale
15 V St Donald
16 S N.-D. Mont Carmel
17 D Ste Charlotte

18 L St Frédéric
19 M St Arsène
20 M Ste Marina
21 J St Victor
22 V Ste Marie-Madeleine
23 S Ste Brigitte
24 D Ste Christine

25 L St Jacques le Majeur
26 M Ste Anne
27 M Ste Nathalie
28 J St Samson
29 V Ste Marthe
30 S Ste Juliette
31 D St Ignace de Loyola

Août

1 L St Alphonse
2 M St Julien
3 M Ste Lydie
4 J St J.-M. Vianney
5 V St Abel
6 S Transfiguration
7 D St Gaëtan

8 L St Dominique
9 M St Amour
10 M St Laurent
11 J Ste Claire
12 V Ste Clarisse
13 S St Hippolyte
14 D St Evrard

15 L Assomption
16 M St Armel
17 M St Hyacinthe
18 J Ste Hélène
19 V St Jean Eudes
20 S St Bernard
21 D St Christophe

22 L St Fabrice
23 M Ste Rose
24 M St Barthélemy
25 J St Louis
26 V Ste Natacha
27 S Ste Monique
28 D St Augustin

29 L Ste Sabine
30 M St Fiacre
31 M St Aristide

Septembre

1 J St Gilles
2 V St Ingrid
3 S St Grégoire
4 D Ste Rosalie

5 L Ste Raissa
6 M St Bertrand
7 M Ste Reine
8 J Nat. V. Marie
9 V St Alain
10 S Ste Inès
11 D St Adelphe

12 L St Apollinaire
13 M St Aimé
14 M La Sainte-Croix
15 J St Roland
16 V Ste Edith
17 S St Renaud
18 D Ste Nadège

19 L Ste Emilie
20 M St Davy
21 M St Matthieu
22 J St Maurice
23 V St Constant
24 S Ste Thècle
25 D St Hermann

26 L Sts Côme, Damien
27 M St Vinc. de Paul
28 M St Venceslas
29 J St Michel
30 V St Jérôme

Octobre

1 S Ste Th. de l'E. Jésus
2 D St Léger

3 L St Gérard
4 M St Fr. d'Assise
5 M Ste Fleur
6 J St Bruno
7 V St Serge
8 S Ste Pélagie
9 D St Denis

10 L St Ghislain
11 M St Firmin
12 M St Wilfried
13 J St Géraud
14 V St Juste
15 S Ste Th. d'Avila
16 D Ste Edwige

17 L St Baudouin
18 M St Luc
19 M St René
20 J Ste Adeline
21 V Ste Céline
22 S Ste Salomé
23 D St. J. de Capistran

24 L St Florentin
25 M St Crépin
26 M St Dimitri
27 J Ste Emeline
28 V Sts Simon, Jude
29 S St Narcisse
30 D Ste Bienvenue

31 L St Quentin

Novembre

1 M Toussaint
2 M Jour des Morts
3 J St Hubert
4 V St Charles
5 S Ste Sylvie
6 D Ste Bertille

7 L Ste Carine
8 M St Godefroy
9 M St Théodore
10 J St Léon
11 V Armistice
12 S St Christian
13 D St Brice

14 L St Sidoine
15 M St Albert
16 M Ste Marguerite
17 J Ste Elizabeth
18 V Ste Aude
19 S St Tanguy
20 D St Edmond

21 L Prés. de Marie
22 M Ste Cécile
23 M St Clément
24 J Ste Flora
25 V Ste Catherine L.
26 S Ste Delphine
27 D St Séverin

28 L St Jacq. de la M.
29 M St Saturnin
30 M St André

Décembre

1 J Ste Florence
2 V Ste Viviane
3 S St Xavier
4 D Ste Barbara

5 L St Gérald
6 M St Nicolas
7 M St Ambroise
8 J Imm. Conception
9 V St P. Fourier
10 S St Romaric
11 D St Daniel

12 L Ste Jeanne F. C.
13 M Ste Lucie
14 M Ste Odile
15 J Ste Ninon
16 V Ste Alice
17 S St Judicaël
18 D St Gatien

19 L St Urbain
20 M St Théophile
21 M St Pierre C.
22 J Ste Françoise-Xavière
23 V St Armand
24 S Ste Adèle
25 D NOEL

26 L St Etienne
27 M St Jean
28 M Sts Innocents
29 J St David
30 V St Roger
31 S St Sylvestre

VITRÉ / GWITREG

DECEMBRE/KERZU 87 JANVIER/GENVER 88

LUNDI/LUN

28

Saints Innocents/An Dianteged Wen

MARDI/MEURZH

29

Saint David/Sant Maeleg

MERCREDI/MERC'HER

30

Saint Roger/Santez Diriz

JEUDI/YAOU

31

Saint Sylvestre/Sant Jelvestr

VENDREDI/GWENER

1

Jour de l'an/Kalanna

SAMEDI/SADORN

2

Saint Basile/Santez Koupaia

DIMANCHE/SUL

3

Epiphanie/Ar Rouaned

LE PASSAGE POMMERAYE A NANTES / GARDENN POMMERAYE E NAONED

LUNDI/LUN

4

Saint Odilon/Sant Ruvon

MARDI/MEURZH

5

Saint Edouard/Santez Bleuvenn

MERCREDI/MERC'HER

6

Saint Mélaine/Sant Peran

JEUDI/YAOU

7

Saint Raymond/Sant Gourzelv

VENDREDI/GWENER

8

Saint Lucien/Sant Filiz

SAMEDI/SADORN

9

Sainte Alix/Sant Faelan

DIMANCHE/SUL

10

Saint Guillaume/Sant Rajen

DOËLAN / DOUELAN

LUNDI/LUN

11

Saint Paulin/Sant Hernin

MARDI/MEURZH

12

Sainte Tatiana/Sant Aofred

MERCREDI/MERC'HER

13

Sainte Yvette/Sant Enogad

JEUDI/YAOU

Sainte Nina/Sant Kendiern

VENDREDI/GWENER

15

Saint Rémi/Santez Ednived

1972 : Mort de Youenn Drezen, écrivain de langue bretonne, à Lorient à la suite d'une longue maladie. / Deiz marv Youenn Drezen En Oriant, war-lerc'h ur c'hleñved hir (skipailh gwalarn)

SAMEDI/SADORN

16

Saint Marcel/Sant Dic'hil

DIMANCHE/SUL

17

Sainte Roseline/Sant Fursa

RETOUR DE PÊCHE A CONCARNEAU / DISTRO PESKETA E KONK-KERNEV

LUNDI/LUN

18

Sainte Prisca/Sant Gwendal

MARDI/MEURZH

19

Saint Marius/Sant Brevalaer

1912 : naissance du poète Armand Robin à la ferme de Kerfloc'h en Plouguernevel. / Ganedigezh ar barzh Armant Robin menaj Kerfloc'h e Plougernevel.

MERCREDI/MERC'HER

20

Saint Sébastien/Santez Oanez

JEUDI/YAOU

21

Sainte Agnès/Sant Benniged

VENDREDI/GWENER

22

Saint Vincent/Sant Dozhwal

SAMEDI/SADORN

23

Saint Barnard/Santez Pezen

DIMANCHE/SUL

24

Saint François de Sales/Sant Kado

1978 : Mort du poète Georges Perros à Douarnenez. / Deiz marv ar barzh Jord Perroz e Douarnenez.

ALIGNEMENT DE MÉGALITHES A CROZON / STEUDAD MEIN-MEUR E KRAOZON

LUNDI/LUN

25

Conv. Saint Paul/Sant Konhouarn

1477 : Naissance d'Anne de Bretagne / Ganedigezh an Dugez Anna.

MARDI/MEURZH

26

Sainte Paule/Sant Tujen

MERCREDI/MERC'HER

27

Sainte Angèle/Sant Gildven

JEUDI/YAOU

28

Saint Thomas d'Aquin/Sant Adibon

VENDREDI/GWENER

29

Saint Gildas/Sant Gweltaz

SAMEDI/SADORN

30

Sainte Martine/Santez Vinvella

DIMANCHE/SUL

31

Sainte Marcelle/Santez Morwenna

LANGUIVOA / LANGIVOA

FEVRIER/C'HWEVRER

LUNDI/LUN

1

Sainte Ella/Santez Berc'hed

MARDI/MEURZH

2

Présentation du Seigneur/Gouel ar Goulou

MERCREDI/MERC'HER

3

Saint Blaise/Santez Plezou

JEUDI/YAOU

4

Sainte Véronique/Sant Morvred

VENDREDI/GWENER

5

Sainte Agathe/Sant Melin

SAMEDI/SADORN

6

Saint Gaston/Santez Agiol

DIMANCHE/SUL

7

Sainte Eugénie/Sant Aodren

LE CHÂTEAU DE TRÉCESSON DANS LA FORÊT DE PAIMPONT / KASTELL TRESAOZON E KOADEG PENPONT

LUNDI/LUN

8

Sainte Jacqueline/Sant Jagu

MARDI/MEURZH

9

Sainte Apolline/Sant Telo

MERCREDI/MERC'HER

10

Saint Arnaud/Sant Riwallan

JEUDI/YAOU

11

N.-D. de Lourdes/Sant Ehouarn

VENDREDI/GWENER

12

Saint Félix/Sant Rieg

SAMEDI/SADORN

13

Sainte Béatrice/Sant Riwan

DIMANCHE/SUL

14

Saint Valentin/Sul al Lard

LA GRAND-MÈRE DES BRETONS / MAMM-GOZH AR VRETONED

LUNDI/LUN

15

Saint Claude/Sant Laouenan

1920 : naissance de René-Guy Cadou, poète. / Ganedigezh Reun-Gwid Kadou, barzh.

MARDI/MEURZH

16

Mardi Gras/Meurz Ened

MERCREDI/MERC'HER

17

Cendres/Merc'her au Ludu

JEUDI/YAOU

18

Sainte Bernadette/Sant Nioreg

VENDREDI/GWENER

19

Saint Gabin/Sant Tiernvael

SAMEDI/SADORN

20

Sainte Aimée/Sant Lever

DIMANCHE/SUL

21

Saint P. Damien/Kental sul ar C'Hor

DOËLAN / DOUELAN

LUNDI/LUN

22

Sainte Isabelle/Sant Evarzheg

1958 : Mort de Mathurin Meheut à Paris. / Deiz marv Matilin Meheut e Pariz.

MARDI/MEURZH

23

Saint Lazare/Sant Finnian

MERCREDI/MERC'HER

24

Saint Modeste/Sant Kenan

JEUDI/YAOU

25

Saint Roméo/Sant Roparzh

VENDREDI/GWENER

26

Saint Nestor/Sant Koulfinid

SAMEDI/SADORN

27

Sainte Honorine/Sant Onen

DIMANCHE/SUL

28

Saint Romain/Sant Riwelen

A MOUSTERU / E MOUSTERU

LUNDI/LUN

29

Saint Auguste/Santez Sisilia

MARDI/MEURZH

1

Saint Aubin/Sant Dewi & Santez Nonn

1875 : Tristan Corbière meurt à Morlaix dans sa trentième année. / Mont a ra Trestan Corbiere da anaon war e dregont vloaz.

MERCREDI/MERC'HER

2

Saint Charles le Bon/Sant Jaouen

JEUDI/YAOU

3

Saint Guénolé/Sant Gwenole

1921 : naissance de Paul Guimard. / Ganedigezh Paol Guimard.

VENDREDI/GWENER

4

Saint Casimir/Sant Elven

SAMEDI/SADORN

5

Sainte Olive/Sant Kenerin

DIMANCHE/SUL

6

Sainte Colette/Sant Sane

LE POULDU / AR POULDU

LUNDI/LUN

7

Sainte Félicité/Sant Eleiran

1822 : naissance à Lorient du musicien Victor Masse / Ganedigezh ar sonour Victor Masse En Oriant.

MARDI/MEURZH

8

Saint Jean de Dieu/Sant Seni

MERCREDI/MERC'HER

9

Sainte Françoise/Santez Glannon

JEUDI/YAOU

10

Mi-Carême/Santez Kanna

VENDREDI/GWENER

11

Sainte Rosine/Sant Beuzeg

SAMEDI/SADORN

12

Sainte Justine/Sant Paol

DIMANCHE/SUL

13

Saint Rodrigue/Sant Kemo

CONCARNEAU / KONK-KERNEV

LUNDI/LUN

14

Sainte Mathilde/Sant Hegareg

MARDI/MEURZH

15

Sainte Louise/Sant Bozian

1987 : mort de Léon Fleuriot, professeur de celtique à la Sorbonne et à Rennes II. / Deiz marv ar c'helenner Leon Fleuriot bet o kelenn an dañvez keltiek er Sorbonne hag e Skol-Veur Roazhon II.

MERCREDI/MERC'HER

16

Sainte Bénédicte/Sant Yungourian

JEUDI/YAOU

17

Saint Patrice/Sant Padrig

VENDREDI/GWENER

18

Saint Cyrille/Sant Derwell

SAMEDI/SADORN

19

Saint Joseph/Sant Jozeb

DIMANCHE/SUL

20

Saint Herbert/Sant Kirill

MEULE DE FERME A BANNALEC / BRELIM UN ATANT E BANALEG

LUNDI/LUN

21

Sainte Clémence/Sant Enna

MARDI/MEURZH

22

Sainte Léa/Santez Dalerc'ha

MERCREDI/MERC'HER

23

Saint Victorien/Santez Peronell

JEUDI/YAOU

24

Sainte Catherine de S. / Santez Krestell

1935 : mort de Yann Sohier qui a lancé le mouvement Ar Falz. / Deiz marv Yann Sohier, en deus roet lañs d'an emsav Ar Falz.

VENDREDI/GWENER

25

Annonciation/Sant Mordiern

SAMEDI/SADORN

26

Sainte Larissa/Sant Evemer

DIMANCHE SUL

27

Rameaux/Sul ar Bleuniou

L'ÉGLISE SAINT-SAUVEUR A REDON / ILIZ SANT-SALVER E REDON

LUNDI/LUN

28

Saint Gontran/Sant Karneg

MARDI/MEURZH

29

Sainte Gwladys/Santez Gladez & Gwenlev

MERCREDI/MERC'HER

30

Saint Amédée/Sant Kenider

JEUDI/YAOU

31

Saint Benjamin/Yaou Gamblit

VENDREDI/GWENER

1

Vendredi-Saint/Gwener ar Groaz

SAMEDI/SADORN

2

Sainte Sandrine/Sant Aoperzh

DIMANCHE/SUL

3

Pâques/Sul Fask

1905 : naissance d'Anjela Duval, grande poétesse de langue bretonne. / Ganedigezh Añjela Duval, Barzhez veur.

PORTE DE FERME / DOR UN ATANT

LUNDI/LUN

4

Lundi de Pâques/Lun Fask

MARDI/MEURZH

5

Sainte Irène/Sant Visant

MERCREDI/MERC'HER

6

Saint Marcellin/Sant Brec'han

JEUDI/YAOU

7

Saint Jean-Baptiste de la Salle/Sant Kleden

VENDREDI/GWENER

8

Sainte Julie/Sant Gouron

SAMEDI/SADORN

9

Saint Gautier/Santez Merzherian

DIMANCHE/SUL

10

Saint Fulbert/Sant Adeodar

BIGOUDENNE EN EXCURSION A CAMARET / BIGOUDENN O WELADENNIÑ BRO E KAMELED

LUNDI/LUN

11

Saint Stanislas/Santez Keridwen

MARDI/MEURZH

12

Saint Jules/Sant Brenac'h

MERCREDI/MERC'HER

13

Sainte Ida/Sant Karadeg

JEUDI/YAOU

14

Saint Maxime/Sant Mevanwi

VENDREDI/GWENER

15

Saint Paterne/Santez Yuveot

SAMEDI/SADORN

16

Saint Benoît-J. Labre/Sant Padarn

DIMANCHE/SUL

17

Saint Anicet/Sant Kedverin

LA CÔTE SUD / AODOÙ AR C'HREISTEIZ

LUNDI/LUN

18

Saint Parfait/Sant Molv

MARDI/MEURZH

19

Sainte Emma/Sant Istin

MERCREDI/MERC'HER

20

Sainte Odette/Sant Kadwalon

JEUDI/YAOU

21

Saint Anselme/Sant Finbar

VENDREDI/GWENER

22

Saint Alexandre/Sant Konvarc'h

SAMEDI/SADORN

23

Saint Georges/Sant Jord

1885 : naissance de Jarl Priel au bourg de Priel. Il a fait partie de Gwalarn, mouvement d'écrivains de langue bretonne ayant à sa tête Roparz Hemon. /

Ganedigezh Jarl Priel en ti melen e bourc'h Priel. Bet eo bet ezel an emsav Gwalarn gant Roparz Hemon.

DIMANCHE/SUL

24

Saint Fidèle/Sant Flann

AU BORD DE L'AVEN / A-HED AN AVEN

AVRIL/EBREL MAI/MAE

LUNDI/LUN

25

Saint Marc/Sant Marc'h

MARDI/MEURZH

26

Sainte Alida/Sant Gourloz

MERCREDI/MERC'HER

27

Sainte Zita/Sant Sant Konwen

JEUDI/YAOU

28

Sainte Valérie/Sant Loudiern

VENDREDI/GWENER

29

Sainte Catherine de Sienne/Sant Segondel

SAMEDI/SADORN

30

Saint Robert/Santez Onenn

DIMANCHE/SUL

1

Fête du Travail/Gouel al labourer

LA RUE DOM-MORICE A QUIMPERLÉ / STRAED DOM-MORICE E KEMPERLE

LUNDI/LUN

2

Saint Boris/Sant Brieg, Sant Azaf

MARDI/MEURZH

3

Saint Philippe/Sant Ewen

MERCREDI/MERC'HER

4

Saint Sylvain/Sant Eneour

JEUDI/YAOU

5

Sainte Judith/Sant Kolen

VENDREDI/GWENER

6

Sainte Prudence/Santez Yulizh

SAMEDI/SADORN

7

Sainte Gisèle/Sant Neventer

DIMANCHE/SUL

8

Armistice 1945/Santez Tunvez

PRÈS DE PONT-L'ABBÉ / E-TAL PONT-'N-ABAD

LUNDI/LUN

9

Saint Pacôme/Sant Komgall

MARDI/MEURZH

10

Sainte Solange/Sant Maoran

MERCREDI/MERC'HER

Sainte Estelle/Sant Tudi

JEUDI/YAOU

12

Ascension/Yaou Bask

VENDREDI/GWENER

13

Sainte Rolande/Sant Mael

SAMEDI/SADORN

14

Saint Matthias/Sant Pever

DIMANCHE/SUL

15

Sainte Denise/Sant Privael

DANS LES CÔTES-DU-NORD / E AODOÙ-AN-HANTERNOZ

LUNDI/LUN

16

Saint Honoré/Sant Brendan

MARDI/MEURZH

17

Saint Pascal/Santez Tudon

MERCREDI/MERC'HER

18

Saint Eric/Sant Karanteg

JEUDI/YAOU

19

Saint Yves/Sant Erwan

Saint-Patron des Bretons. / Sant-Paeron ar Vretoned.

VENDREDI/GWENER

20

Saint Bernardin/Sant Tirizhian

SAMEDI/SADORN

21

Saint Constantin/Santez Awen

1919 : Victor Segalen est trouvé mort au pied d'un arbre dans la forêt de Huelgoat. / Kavet eo korf marv Victor Segalen e-harz ur wezenn e koadeg An Uelgoad.

DIMANCHE/SUL

22

Pentecôte/Sul Gwenn

MARÉE BASSE / IZEL-VOR

LUNDI/LUN

23

Lundi de Pentecôte/Lun ar Pantekost

MARDI/MEURZH

24

Saint Donatien/Sant Don & San Rog

MERCREDI/MERC'HER

25

Sainte Sophie/Sant Beda

JEUDI/YAOU

26

Saint Bérenger/Sant Sieg

VENDREDI/GWENER

27

Saint Augustin/Sant Aostin

SAMEDI/SADORN

28

Saint Germain/Sant Yoran

DIMANCHE/SUL

29

Fête des Mères/Sul ar Drinded

1882 : naissance de Mathurin Meheut, peintre de la vie quotidienne. / Ganedigezh Matilin Meheut, livour ar vuhez pemdeziek.

NASSES A LANGOUSTES / KIDELLOÙ GRILHED-MOR

LUNDI/LUN

30

Saint Ferdinand/Santez Burian

MARDI/MEURZH

31

Visitation/Sant Nerin

MERCREDI/MERC'HER

1

Saint Justin/Sant Ronan

JEUDI/YAOU

2

Sainte Blandine/Santez Ermengar

VENDREDI/GWENER

3

Saint Kévin/Sant Kevin

SAMEDI/SADORN

4

Sainte Clotilde/Santez Ninnog

DIMANCHE/SUL

5

Saint Igor/Sant Pereg

FERME DANS LE PAYS DE L'AVEN / ATANT E BRO-AVEN

LUNDI/LUN

6

Saint Norbert/Sant Goal

MARDI/MEURZH

7

Saint Gilbert/Sant Meriadeg

MERCREDI/MERC'HER

8

Saint Médard/Sant Herbot

JEUDI/YAOU

9

Sainte Diane/Sant Bron

VENDREDI/GWENER

10

Saint Landry/Sant Koulmkell

SAMEDI/SADORN

11

Saint Barnabé/Sant Majan

DIMANCHE/SUL

12

Saint Guy/Sant Kristan

UNE CHAPELLE A LA FORÊT-FOUESNANT / CHAPEL E KOADEG-FOUENANT

LUNDI/LUN

13

Saint Antoine de Padoue/Sant Tuno

MARDI/MEURZH

14

Saint Elisée/Sant Devneg

MERCREDI/MERC'HER

15

Sainte Germaine/Sant Gougae

JEUDI/YAOU

Saint J.-F. Régis/Sant Nin

1904 : naissance de Louis Andouard, écrivain de langue bretonne. / Ganedigezh Loeiz Andouard, skrivagner brezhonek.

VENDREDI/GWENER

17

Saint Hervé/Sant Herve

SAMEDI/SADORN

18

Saint Léonce/Sant Meogon

DIMANCHE/SUL

19

Saint Romuald/Santez Riwanon

LOCRONAN / LOKRONAN

LUNDI/LUN

20

Saint Sylvère/Sant Marc'han

MARDI/MEURZH

21

Saint Rodolphe/Sant Meven

MERCREDI/MERC'HER

22

Saint Alban/Santez Gwenvred

1930 : naissance de Xavier Grall à Landivisiau. / Ganedigezh Xavier Grall e Landivizio.

JEUDI/YAOU

23

Sainte Audrey/Santez Eflez

VENDREDI/GWENER

24

Saint Jean-Baptiste/Sant Yann

SAMEDI/SADORN

25

Saint Prosper/Sant Salaün

DIMANCHE/SUL

26

Saint Anthelme/Santez Sennin

LUNDI/LUN

27

Saint Fernand/Sant Maelvan

MARDI/MEURZH

28

Saint Irénée/Sant Gwazeg

MERCREDI/MERC'HER

29

Saints Pierre, Paul/Sant Pêr & Sant Paol

JEUDI/YAOU

30

Saint Martial/Sant Kast

VENDREDI/GWENER

1

Saint Thierry/Sant Goulwen

SAMEDI/SADORN

2

Saint Martinien/Sant Luner

DIMANCHE/SUL

3

Saint Thomas/Sant Tomaz

SUR LE BÉLON / WAR AR BELON

LUNDI/LUN

4

Saint Florent/Sant Balae

MARDI/MEURZH

5

Saint Antoine-Marie/Sant Anton

MERCREDI/MERC'HER

6

Sainte Mariette/Santez Nolwenn

JEUDI/YAOU

7

Saint Raoul/Sant Tei

VENDREDI/GWENER

8

Saint Thibaut/Sant Kilian

SAMEDI/SADORN

9

Sainte Amandine/Sant Garvan

DIMANCHE/SUL

10

Saint Ulrich/Sant Pasker

SAINT-JOACHIM DANS L'ILE DE FEDRUN / SANT JOAKIM E ENEZ-FEDRUN

LUNDI/LUN

11

Saint Benoît/Sant Emeri

MARDI/MEURZH

12

Saint Olivier/Sant Kare

MERCREDI/MERC'HER

13

Saints Henri, Joël/Sant Turio

JEUDI/YAOU

14

Fête Nationale/Sant Bonavantur

VENDREDI/GWENER

15

Saint Donald/Sant Riwall

SAMEDI/SADORN

16

N.-D. Mont Carmel/Sant Tenenan

DIMANCHE/SUL

17

Sainte Charlotte/Sant Goneri

LA PRESQU'ILE DE CROZON / LEDENEZ KRAOZON

JUILLET/GOUERE

LUNDI/LUN

18

Saint Frédéric/Sant Tivizio

MARDI/MEURZH

19

Saint Arsène/Sant Maden

MERCREDI/MERC'HER

20

Sainte Marina/Santez Angharad

Ouverture du festival de Cornouailles à Quimper. / Digoradur gouelioù Bro-Gernev e Kemper.

JEUDI/YAOU

Saint Victor/Santez Trifin

VENDREDI/GWENER

22

Sainte Marie-Madeleine/Santez Sev

SAMEDI/SADORN

23

Sainte Brigitte/Sant Melio

DIMANCHE/SUL

24

Sainte Christine/Sant Deklan

LOCTUDY / LOKTUDI

JUILLET/GOUERE

LUNDI/LUN

25

Saint Jacques le Majeur/Sant Gwengalon

MARDI/MEURZH

26

Sainte Anne/Santez Anna

MERCREDI/MERC'HER

27

Sainte Nathalie/Sant Henog

JEUDI/YAOU

Saint Samson/Sant Samzun

1488 : défaite des armées bretonnes face aux troupes françaises à Saint-Aubin-du-Cormier. / Trec'het eo al lu Breizh gant ar bagadoù gall e Sant-Albin-An-Hiliber.

VENDREDI/GWENER

29

Sainte Marthe/Sant Gwilherm

SAMEDI/SADORN

30

Sainte Juliette/Sant Nazer

DIMANCHE/SUL

31

Saint Ignace de Loyola/Sant Garmon

PANIERS A HUÎTRES SOUS L'EAU / PANEROÙ ISTR DINDAN AN DOUR

LUNDI/LUN

1

Saint Alphonse/Santez Madenn

MARDI/MEURZH

2

Saint Julien/Sant Tunio

MERCREDI/MERC'HER

3

Sainte Lydie/Sant Pergad

1379 : débarquement du Duc Jean IV Le Conquérant à Dinard. / Dilestrañ a ra Yann IV e Dinarzh.

JEUDI/YAOU

4

Saint J.-M. Vianney/Santez Aourgen

VENDREDI/GWENER

5

Saint Abel/Santez Sidwell

1907 : naissance d'Eugène Guillevic à Carnac. / Ganedigezh Ujan Guillevic e Karnak.

SAMEDI/SADORN

6

Transfiguration/Santez Dahud

DIMANCHE/SUL

7

Saint Gaëtan/Santez Gwerborc'h

LA RUE PRÉMION A NANTES / STRAED PREMION E NAONED

LUNDI/LUN

8

Saint Dominique/Sant Elid

Ouverture du festival interceltique de Lorient. / Digoradur emvod ar gelted En Oriant.

MARDI/MEURZH

9

Saint Amour/Sant Erle

MERCREDI/MERC'HER

10

Saint Laurent/Sant Klerwi

JEUDI/YAOU

11

Sainte Claire/Sant Ergad

VENDREDI/GWENER

12

Sainte Clarisse/Santez Sklerijenn

SAMEDI/SADORN

13

Saint Hippolyte/Sant Ever

DIMANCHE/SUL

14

Saint Evrard/Sant Riowen

LOCRONAN / LOKRONAN

LUNDI/LUN

15

Sainte-Marie, Assomption/Gouel Varia, Hant Eost

MARDI/MEURZH

16

Saint Armel/Sant Arzhel

MERCREDI/MERC'HER

17

Saint Hyacinthe/Sant Gulc'hien, Julian

JEUDI/YAOU

18

Sainte Hélène/Santez Lena

1889 : mort de Villiers De l'Isle Adam./ Deiz marv Villiers De l'Isle Adam.

VENDREDI/GWENER

19

Saint Jean Eudes/Sant Gwennin

SAMEDI/SADORN

20

Saint Bernard/Sant Filberzh

DIMANCHE/SUL

21

Saint Christophe/Santez Yuna

LES MARAIS DE BRIÈRES / GWERNIOÙ BRO-VRIER

LUNDI/LUN

22

Saint Fabrice/Sant Milian

MARDI/MEURZH

23

Sainte Rose/Santez Tedvil

MERCREDI/MERC'HER

24

Saint Barthélemy/Sant Bertele

JEUDI/YAOU

25

Saint Louis/Sant Brewen

VENDREDI/GWENER

26

Sainte Natacha/Sant Yugonvarc'h

SAMEDI/SADORN

27

Sainte Monique/Santez Mona

DIMANCHE/SUL

28

Saint Augustin/Sant Elouan

FONTAINE A MOËLAN / FEUNTEUN E MOELAN

LUNDI/LUN

29

Sainte Sabine/Sant Edern

MARDI/MEURZH

30

Saint Fiacre/Sant Fieg

MERCREDI/MERC'HER

31

Saint Aristide/Santez Rozenn

JEUDI/YAOU

1

Saint Gilles/Sant Yuz

VENDREDI/GWENER

2

Saint Ingrid/Santez Yaouank

SAMEDI/SADORN

3

Saint Grégoire/Sant Kavan

DIMANCHE/SUL

4

Sainte Rosalie/Sant Berin

DOËLAN / DOUELAN

LUNDI/LUN

5

Sainte Raïssa/Sant Konneg

MARDI/MEURZH

6

Saint Bertrand/Sant Dogvael

MERCREDI/MERC'HER

7

Sainte Reine/Sant Gorun

1875 : naissance de Tangi Malmanche à Saint-Omer-en-Artois, grand dramaturge de langue bretonne.

/ Ganedigezh Tangi Malmanche e Saint-Omer-En-Artois, dramaour meur.

JEUDI/YAOU

8

Nativité de la Vierge Marie/Sant Sant Karan

VENDREDI/GWENER

9

Saint Alain/Santez Ozvan

SAMEDI/SADORN

10

Sainte Inès/Sant Konwal

1901 : naissance de Yann Sohier à Loudéac.

/ Ganedigezh Yann Sohier e Loudieg.

DIMANCHE/SUL

11

Saint Adelphe/Sant Glen

LA PÊCHE A LA SARDINE / PESKETAEREZH AR SARDINED

LUNDI/LUN

12

Saint Apollinaire/Sant Menou

1803 : naissance d'Auguste Brizeux à Lorient. / Ganedigezh Aogust Brizeux En Oriant.

MARDI/MEURZH

Saint Aimé/Sant Dagan

MERCREDI/MERC'HER

14

La Sainte-Croix/Sant Modan

JEUDI/YAOU

15

Saint Roland/Santez Erell

VENDREDI/GWENER

16

Sainte Edith/Sant Dider

SAMEDI/SADORN

17

Saint Renaud/Sant Urfol

DIMANCHE/SUL

18

Sainte Nadège/Sant Senour

LE CHÂTEAU DES DUCS DE BRETAGNE A NANTES / KASTELL DUGED BREIZH E NAONED

LUNDI/LUN

19

Sainte Emilie/Sant Riware

MARDI/MEURZH

20

Saint Davy/Santez Gwenlaouen

MERCREDI/MERC'HER

21

Saint Matthieu/Sant Mazhev

JEUDI/YAOU

22

Saint Maurice/Sant Emeran

VENDREDI/GWENER

23

Saint Constant/Sant Solen

SAMEDI/SADORN

24

Sainte Thècle/Sant Maogad

DIMANCHE/SUL

25

Saint Hermann/Sant Donnan

MATIN DE PÊCHE / BEUREVEZH PESKETA

SEPTEMBRE/GWENGOLO OCTOBRE/HERE

LUNDI/LUN

26

Saints Côme, Damien/Santez Tekla

MARDI/MEURZH

27

Saint Vincent de Paul/Santez Lupita

MERCREDI/MERC'HER

28

Saint Venceslas/Sant Konan

JEUDI/YAOU

Saint Michel/Sant Mikael

1364 : victoire de Jean de Montfort sur Charles de Blois à Auray. / Yann Monfort a zo trec'h war Charlez Blois En Alre.

VENDREDI/GWENER

30

Saint Jérôme/Sant Louri

SAMEDI/SADORN

1

Sainte Thérèse de l'E. Jésus/Santez Uriell

DIMANCHE/SUL

2

Saint Léger/Sant Sulio

KERDRUC SUR L'AVEN / KERDRUG-AN-AVEN

LUNDI/LUN

3

Saint Gérard/Sant Fragan

MARDI/MEURZH

4

Saint François d'Assise/Sant Fransez

MERCREDI/MERC'HER

5

Sainte Fleur/Santez Faizh

1895 : naissance de l'écrivain de langue bretonne Yann Bizien à Plouyé. / Ganedigezh Yann Bizien, skrivagner brezhonek, e Plouie.

JEUDI/YAOU

6

Saint Bruno/Sant Ivi

VENDREDI/GWENER

7

Saint Serge/Santez Piala

SAMEDI/SADORN

8

Sainte Pélagie/Santez Morgan

DIMANCHE/SUL

9

Saint Denis/Santez Kein

LE POULDU / AR POULDU

LUNDI/LUN

10

Saint Ghislain/Sant Kler

MARDI/MEURZH

11

Saint Firmin/Sant Gwinian

MERCREDI/MERC'HER

12

Saint Wilfried/Sant Ke

JEUDI/YAOU

13

Saint Géraud/Sant Gwenegan

VENDREDI/GWENER

14

Saint Juste/Santez Enora

SAMEDI/SADORN

15

Sainte Thérèse d'Avila/Santez Aourell

DIMANCHE/SUL

16

Sainte Edwige/Sant Gall

LOCRONAN / LOKRONAN

LUNDI/LUN

17

Saint Baudouin/Sant Segal

MARDI/MEURZH

18

Saint Luc/Sant Lukaz

MERCREDI/MERC'HER

19

Saint René/Sant Ezvin

JEUDI/YAOU

20

Sainte Adeline/Santez Gwengunv

VENDREDI/GWENER

21

Sainte Céline/Santez Sterenn

SAMEDI/SADORN

22

Sainte Salomé/Sant Morvan

DIMANCHE/SUL

23

Saint Jean de Capistran/Sant Drenwal

LE CHÂTEAU DES DUCS DE BRETAGNE A NANTES / KASTELL DUGED BREIZH E NAONED

LUNDI/LUN

24

Saint Florentin/Sant Malor

MARDI/MEURZH

25

Saint Crépin/Sant Gouenou

MERCREDI/MERC'HER

26

Saint Dimitri/Sant Alor

JEUDI/YAOU

27

Sainte Emeline/Santez Argentael

VENDREDI/GWENER

28

Saints Simon, Jude/Santez Libouban

SAMEDI/SADORN

29

Saint Narcisse/Santez Lanwenn

1817 : naissance de Paul Féval à Rennes. / Ganedigezh Paol Feval e ti-meur Blossac e straed kozh Kuzul-ar-Chalonied e Roazhon.

DIMANCHE/SUL

30

Sainte Bienvenue/Sant Follan

RUINES DANS L'ILE D'OUESSANT / RIVINOÙ E ENEZ-EUSA

LUNDI/LUN

31

Saint Quentin/Sant Gwalon

MARDI/MEURZH

1

Toussaint/G. an Hollsent

MERCREDI/MERC'HER

2

Jour des Morts/G. an Anaon

JEUDI/YAOU

3

Saint Hubert/Sant Gwenael, Levenez

VENDREDI/GWENER

4

Saint Charles/Sant Juvad

SAMEDI/SADORN

5

Sainte Sylvie/Sant Fili

DIMANCHE/SUL

6

Sainte Bertille/Sant Eflamm

SAINT-JOACHIM, ILE DE FEDRUN / SAINT-JOAKIM, ENEZ-FEDRUN

LUNDI/LUN

7

Sainte Carine/Sant Brelivet

1981 : mort de la grande poétesse de langue bretonne, Anjela Duval. / Deiz marv Añjela Duval, troc'herez vuzhug ha barzhez veur anezhi.

MARDI/MEURZH

8

Saint Godefroy/Sant Treveur

MERCREDI/MERC'HER

9

Saint Théodore/Sant Kadwalaer

JEUDI/YAOU

10

Saint Léon/Sant Govrian

VENDREDI/GWENER

11

Armistice/Santez Franseza

SAMEDI/SADORN

12

Saint Christian/Sant Maeg

DIMANCHE/SUL

13

Saint Brice/Sant Brizh

CONCARNEAU / KONK - KERNEV

LUNDI/LUN

14

Saint Sidoine/Sant Gwezheneg

MARDI/MEURZH

15

Saint Albert/Sant Malo

MERCREDI/MERC'HER

16

Sainte Marguerite/Santez Marc'harid

JEUDI/YAOU

17

Sainte Elizabeth/Santez Elesbed

VENDREDI/GWENER

18

Sainte Aude/Sant Maodez

SAMEDI/SADORN

19

Saint Tanguy/Sant Tangi

DIMANCHE/SUL

20

Saint Edmond/Sant Emilion

CONCARNEAU / KONK-KERNEV

LUNDI/LUN

21

Présentation de Marie/Sant Koulman

1826 : naissance de l'écrivain Lan Inizan à Plounevez-Lokrist. / Ganedigezh Lan Inizan e Plounevez-Lokrist, skrivagner bezhonek.

MARDI/MEURZH

22

Sainte Cécile/Santez Aziliz

MERCREDI/MERC'HER

23

Saint Clément/Sant Bieuzi

JEUDI/YAOU

24

Sainte Flora/Santez Bleunvenn

VENDREDI/GWENER

25

Sainte Catherine L./Santez Katell

SAMEDI/SADORN

26

Sainte Delphine/Sant Ilan

DIMANCHE/SUL

27

Saint Séverin/Kentan sul an Azvent

L'ILE D'OUESSANT / ENEZ-EUSA

LUNDI/LUN

28

Saint Jacques de la Marche/Santez Heodez

MARDI/MEURZH

29

Saint Saturnin/Santez Menefred

MERCREDI/MERC'HER

30

Saint André/Sant Andrev

JEUDI/YAOU

1

Sainte Florence/Sant Tudal

VENDREDI/GWENER

2

Sainte Viviane/Sant Tudeg

SAMEDI/SADORN

3

Saint Xavier/Sant Avran

DIMANCHE/SUL

4

Sainte Barbara/Sant Melar

UN CALVAIRE / KALVAR

LUNDI/LUN

5

Saint Gérald/Sant Houarvian

MARDI/MEURZH

6

Saint Nicolas/Sant Iltud

MERCREDI/MERC'HER

7

Saint Ambroise/Santez Azenor

JEUDI/YAOU

8

Immaculée Conception/Sant Budog

VENDREDI/GWENER

9

Saint P. Fourier/Santez Maelc'hen

SAMEDI/SADORN

10

Saint Romaric/Sant Kouli

DIMANCHE/SUL

11

Saint Daniel/Sant Envel

BATEAUX SUR LE SABLE / BIGI WAR AN TRAEZH

LUNDI/LUN

12

Sainte Jeanne F. C./Sant Kaourintin

1943 : assassinat de Yann-Vari Perrot à Scrignac. / Drouklazh Yann-Vari Perrot e Skrignak.

MARDI/MEURZH

13

Sainte Lucie/Sant Judog

MERCREDI/MERC'HER

14

Sainte Odile/Sant Eginer

JEUDI/YAOU

15

Sainte Ninon/Santig Du

VENDREDI/GWENER

16

Sainte Alice/Santez Lila

SAMEDI/SADORN

17

Saint Judicaël/Sant Jezekqel

DIMANCHE/SUL

18

Saint Gatien/Sant Briaz

LUNDI/LUN

19

Saint Urbain/Sant Yvzel

MARDI/MEURZH

20

Saint Théophile/Sant Alar

MERCREDI/MERC'HER

21

Saint Pierre C./Sant Gwinier

JEUDI/YAOU

22

Sainte Françoise-Xavière/Santez Eved

VENDREDI/GWENER

23

Saint Armand/Sant Elvin

SAMEDI/SADORN

24

Sainte Adèle/Sant Maelan

DIMANCHE/SUL

25

Noël/Nedeleg

LA CÔTE SUD / AODOÙ AR C'HREISTEIZ

DECEMBRE/KERZU 88 JANVIER/GENVER 89

LUNDI/LUN

26

Saint Etienne/Sant Stefan

MARDI/MEURZH

27

Saint Jean/Sant Yann Avielour

MERCREDI/MERC'HER

28

Saints Innocents/An Dianteged Wen

JEUDI/YAOU

29

Saint David/Sant Maeleg

VENDREDI/GWENER

30

Saint Roger/Santez Tirid

SAMEDI/SADORN

31

Saint Sylvestre/Sant Jelvestr

DIMANCHE/SUL

1

Jour de l'an/Kalanna

NOTES

NOM ....

ADRESSE ....

.... Tél. : ....

NOM ....

ADRESSE ....

.... Tél. : ....

NOM ....

ADRESSE ....

.... Tél. : ....

NOM ....

ADRESSE ....

.... Tél. : ....

NOM ....

ADRESSE ....

.... Tél. : ....

NOM ....

ADRESSE ....

.... Tél. : ....

NOM ....

ADRESSE ....

.... Tél. : ....

NOM ....

ADRESSE ....

.... Tél. : ....

NOM ....

ADRESSE ....

.... Tél. : ....

EDITIONS RIVAGES

Proverbes et dictons
de basse Bretagne
Yves Le Berre, Jean Le Dû
Volume broché, illustré

Anthologie des expressions
de basse Bretagne
Yves Le Berre, Jean Le Dû
Volume broché, illustré

Villages de Bretagne
Photos Bernard Henry
Texte Marianne Henry
Volume relié sous jaquette couleur
170 photos couleurs

Achevé d'imprimer sur les presses de l'Imprimerie A. ROBERT
24, rue Moustier - 13001 Marseille

Dépôt légal : mai 1987